l'homme-objet

LOUISE LEBLANC

l'homme-*objet*

NOUVELLE ÉDITION

Stanké

Données de catalogage avant publication (Canada)

Leblanc, Louise 1942-
   L'homme-objet
   2e éd. -
   ISBN 2-7604-0412-9
   1. Hommes - Comportement sexuel - Anecdotes. I.
Titre.
HQ25.L43   1992   305.31'0207   C92-096788-4

Photo: Jean-Marie Bioteau
Conception graphique et montage: Olivier Lasser

ISBN 2-7604-0412-9

Dépôt légal: troisième trimestre 1992

IMPRIMÉ AU QUÉBEC (CANADA)

À ma mère

L'homme fut longtemps le seul objet de nos vies et de nos aspirations. Plus récemment, il devint l'objet de nos récriminations et de nos attaques. Rarement fut-il l'objet systématique de nos plaisanteries.

L'homme, objet de nos sourires et même de nos rires, tel est le sujet de ce petit livre.

Puisque les hommes se sont toujours attribué le monopole de l'humour, je n'ai pas douté qu'ils sauraient y faire face même si cet humour est fait sur leur dos, convaincue qu'ils riraient aussi facilement d'eux qu'ils ont ri de nous.

Je me suis dit également qu'un détour du côté de l'humour rendrait plus agréable aux femmes la route qui les ramène vers les hommes, avec, au fond du cœur, l'espoir qu'ils feront la moitié du chemin et que, ensemble, on s'amusera fort d'un passé dépassé.

Que les hommes pour qui ce recueil est taillé sur mesure l'endossent; quant aux autres, ils y trouveront certainement quelques phrases qui leur aillent comme un gant.

Note: Si la forme est de moi, le fond est de toutes les femmes.

Louise Leblanc

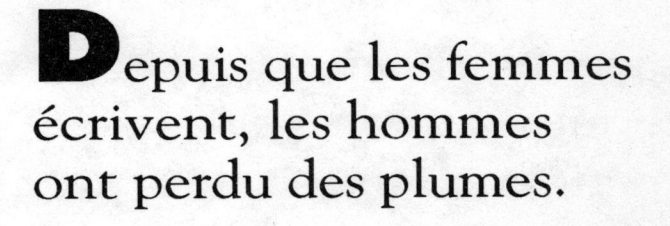

Depuis que les femmes écrivent, les hommes ont perdu des plumes.

Efficaces au travail,
les hommes le sont
également en amour:
Aussitôt dit, aussitôt fait.

Qu'est-ce
qu'un conjoint?
Quelqu'un qu'on joint
difficilement.

Beaucoup d'hommes
confondent la volupté
de l'orgasme
avec le volume
de l'organe.

Quand un homme vous dit qu'il vous touchera à peine, c'est qu'il a l'intention de vous sauter.

Avec les hommes, on sait que bien souvent ce ne sera pas très long...

Ce qu'on ne sait pas, c'est si on va passer un bon ou un mauvais quart d'heure.

Les hommes
ont toujours
vingt ans...

de retard.

Habituellement,
les chauds lapins
vous prennent à froid.

Je ne sais pas si la femme
est l'avenir de l'homme,
mais elle est l'homme
de l'avenir.

Depuis le temps que les hommes nous cherchaient, ils nous ont trouvées...

Les hommes,
ces créatures étranges qui,
entre la tête et la queue,
ont un corps étranger.

Les hommes nous chantent
toujours la même chanson
et en plus ils voudraient
des rappels.

Un galant est un homme
qui met des gants
pour vous mettre la
main dessus sans avoir à
demander votre main.

Le sexe de l'homme est une bougie d'allumage dont il a prétendu faire le flambeau de la civilisation.

Le sexe masculin est dans un cul-de-sac.

Où iraient les femmes sans les hommes? Je ne sais pas, mais elles reviendraient de loin.

Un vaurien vaut bien un homme!

s'il est difficile de rejoindre
les hommes, c'est qu'ils sont
à vingt mille lieues
sous les mères.

Certains hommes
parcourent les femmes
à viol d'oiseau.

Les hommes ont toujours peur que les femmes ne les aiment pas pour eux-mêmes. C'est sans doute pourquoi ils les aiment pour la même raison.

Un homme marié est un célibataire qui fait la sieste.

Pour quelques centimètres en plus, les hommes se sont sentis maîtres.

Qu'y a-t-il de mieux qu'un homme?

Aucun.

Au lit, les petits génies du sexe ont souvent des éjaculations précoces.

Les étapes de la vie d'un
homme sont:
l'enfance;
l'adolescence;
l'adultère.

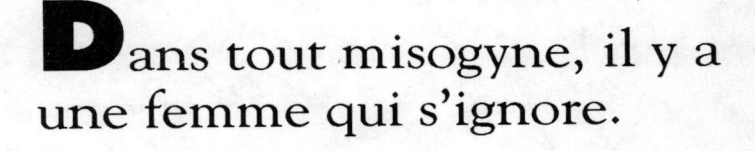

Dans tout misogyne, il y a une femme qui s'ignore.

Quand un homme pèse le pour et le contre, vous pouvez être assurée que vous en aurez lourd à porter.

Un époux est un homme
qu'il faut épousseter de temps
en temps...

Parmi les hommes, les pires
menteurs sont ceux qui ont
plusieurs maîtresses:
Ils ne savent plus à quels seins
avouer.

Certains amants sont comme les peintres du dimanche: Ils sortent leur pinceau de temps à autre et ils pensent faire des chefs-d'œuvre.

Charles Baudelaire disait:
«La femme est naturelle,
c'est-à-dire abominable.»

J'ajoute que l'homme, c'est
l'inverse.

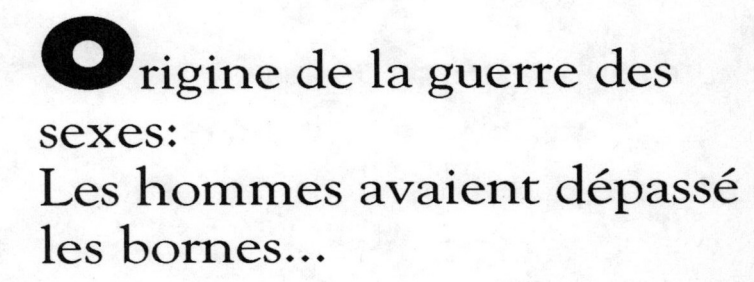

Origine de la guerre des
sexes:
Les hommes avaient dépassé
les bornes...

Avertissement:
«Gare à vous, mesdemoiselles,
le mariage est un long voyage
où vous devrez prendre le
train-train quotidien.»

Nuance:
Les noceurs ne nous mènent
pas à l'autel, mais à l'hôtel.

Les hommes ne manquent pas d'air:
Ils nous les gonflent avec la rivalité féminine et ils nous soufflent nos copines.

Avec les hommes, on ne sait
pas où on va; ils nous
promettent mer et monde,
et après ils en font
une montagne.

Quand un homme monte chez vous, il ne fait qu'entrer et sortir s'il vous fait l'amour sur la descente de lit.

Les hommes restent jeunes et
puis ils meurent.
C'est pourquoi ils ne
deviennent jamais des adultes.

Qu'est-ce qu'un voyeur?
Un homme dont le désir
augmente à vue d'œil.

Les hommes qui portent l'uniforme ont ceci en commun qu'ils se croient différents.

Occupation des lieux:
Un homme entre dans votre
vie et y installe la sienne.

Les hommes déplorent que les femmes deviennent comme leur mère.
Nous, nous pouvons déplorer que les hommes deviennent comme leur fils.

Quand une femme rencontre un homme, elle devrait réfléchir avant de dire qu'il n'est pas son genre.
À ma connaissance, les hommes forment un seul genre.

Il y a des hommes qui prennent les femmes de travers et qui s'étonnent de tomber sur un os.

Les femmes se marient de moins en moins parce qu'elles ne peuvent plus remplir la première condition du contrat de mariage: une soumission trop basse.

Erreur anatomique:
Pendant des siècles,
l'intelligence a été attribuée
au sexe masculin.
On sait depuis peu que le siège
de l'intelligence se situe ailleurs.

Si les femmes caquettent,
les hommes quéquettent.

Il y a un moment où l'homme pense vraiment à sa femme: quand il lui demande de comprendre son problème.

L'interrogation masculine la plus profonde:
To bite or not to bite?

Pour bien des hommes,
l'amour est un commerce
dont l'objectif est
l'écoulement du stock.

Les hommes ont certainement des trompes de phallocrates.

Pour les hommes,
deux «tu l'auras» valent
mieux qu'un «tiens».

Les hommes ne sont pas encore guéris de la mâladie.

Tous les hommes jouent du sexophone mais très peu maîtrisent leur instrument.

Les temps changent:
Autrefois, les femmes vivaient
dans l'ombre d'hommes qui,
bien souvent, n'étaient pas
l'ombre d'eux-mêmes.

Aujourd'hui, les femmes prennent leur place au soleil, ce qui rend les hommes de plus en plus ombrageux.

Beaucoup d'hommes se prennent pour des as du cœur alors qu'ils n'ont même pas d'atout.

Pour une fois que le masculin est employé judicieusement, il convient de le souligner: «L'homme descend du singe.»

La femme-objet
est une création
de l'homme abject.

Si les hommes ont aujourd'hui peu de crédit auprès des femmes, c'est que leurs affirmations gratuites nous ont coûté cher.

L'homme est le dominateur commun des femmes.

Si les hommes baisaient moins, ils feraient plus souvent l'amour.

Les pépés aiment les pépées

Il y a deux catégories
d'hommes:
les barbus barbants,
les rasés raseurs.

Les hommes préfèrent les femmes légères parce qu'elles leur donnent du poids.

L'homme,
ce porc-épique.

Qu'un tombeur au torse bombé fasse la bombe, passe encore; mais y a-t-il plus ridicule qu'un tombeur au torse tombé?

Les durs à cuire sont difficiles à digérer.

Les gouvernements sont composés d'hommes; pas étonnant que les gouvernementent.

Il y a des hommes qui se marient uniquement pour pouvoir tromper leur femme.

À l'heure du Jugement dernier, espérons que le juge ne sera pas un homme.

J'aime bien les gendarmes;
ils font la chasse à l'homme.

L'égoïsme de l'homme est un puits sans fond; sa force, un appui sans fondement.

Les hommes se refusent à faire du ménage, car, pour eux, ce serait mordre la poussière.

Les hommes ne veulent pas
que les femmes travaillent
parce qu'ils savent très bien
que pourvoir à ses moyens
c'est avoir les moyens du
pouvoir.

En un mot, ils veulent conserver l'énergie salaire.

Il y a des hommes qui font
l'amour comme ils ont appris à
conduire:
Une fois qu'ils savent où se
trouvent les boutons de
commande,

ils appuient sur l'accélérateur
en allant toujours de plus en
plus vite.

On les appelle des coureurs.

Il ne faut jamais sous-estimer le fait que les hommes se surestiment.

Qu'est-ce qui est plus dangereux qu'un rhinocéros blessé?

Réponse: Un homme blessé dans son orgueil.

Quel rapprochement peut-on faire entre la Rome antique et l'homme antique?

Réponse: Quand tous les chemins y mènent, la décadence n'est pas loin.

Si les hommes s'entendaient, ils ne diraient plus qu'une femme est intelligente parce qu'elle les écoute parler.

Il faut tout de même rendre aux hommes ce qui est aux hommes.

C'est ce que pensent les homosexuels.

Soyons réalistes:
Ils se marièrent; elle eut
de nombreux enfants;
ils divorcèrent;
et il fut heureux.

Un féministe est un homme qui accepte de couper la poire en deux tout en s'assurant que la poire est encore la femme.

Quand son mari la trompe,
une femme le devine toujours,
car:
«Qui trop embrasse mal
étreint»

et
«Qui trop embrase mal
éteint».

Dans certains cas, il faut
boire le couple jusqu'au lit.

Les hommes sont comme les pommes:
Un seul piqué suffit à pourrir tous les autres.

Il paraît qu'on a peur de ce qu'on ne connaît pas; c'est sans doute pour cette raison que les hommes ont peur de l'amour.

Certains hommes considèrent leur femme comme leur voiture; ils s'imaginent être les seuls à pouvoir la conduire.

Pour qu'un homme consacre son temps à un tête-à-tête, il faut qu'il ait une idée derrière la tête.

Les hommes croient qu'ils ont toujours raison, ce qui est une bonne raison de croire qu'ils ne sont pas raisonnables.

Les hommes demeurent en banlieue de la vie.

Une femme ne doit jamais oublier qu'un baratineur n'a d'autre intention que de faire son beurre.

La plupart des hommes d'âge moyen ont la mentalité des hommes du Moyen Âge.

Les seuls moments où un homme ne pense pas à lui sont ceux où il est certain que d'autres y pensent.

Les papas gâteau ne sont pas de la tarte.

Au chapitre de la femme, les hommes d'Église ne seront jamais à la page car ils sont trop à la lettre.

Le nombre de femmes avec qui un homme se vante d'avoir couché est directement proportionnel au nombre d'hommes qui l'écoutent.

Un homme n'avoue jamais,
à moins d'être pris
en flagrant de lit.

Il y a des hommes à qui on pourrait dire:
Sois laid et tais-toi.

Si les femmes étaient sadiques, c'est en petites coupures qu'elles rendraient aux hommes la monnaie de leur pièce.

Certains hommes
considèrent leur femme
comme moins que zéro et
s'étonnent ensuite qu'elle soit
froide.

Les femmes de mauvaise vie
la partagent avec les hommes
qui ont une double vie.

Le mariage est la meilleure école pour apprendre à vivre seule.

Les hommes nous font payer
l'argent qu'ils gagnent.

Les apparences sont trompeuses.
Ainsi, à partir d'un certain âge, on pourrait croire que ce sont les hommes qui sont enceintes.

L'homme est un mauvais perdant:
Quand il ne peut gagner aux points, il se rattrape aux poings.

Un homme de trouvé,
dix de perdus.

L'homme a toujours voulu sauver sa peau.
Autrefois, c'était sa peau de buffle.
Aujourd'hui, c'est sa peau de mufle.

Si le chien est le meilleur ami de l'homme, la chienne est la meilleure amie de la femme.

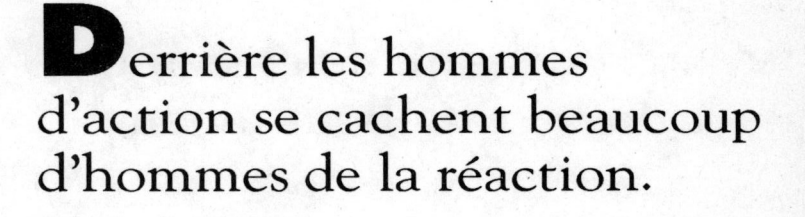

Derrière les hommes
d'action se cachent beaucoup
d'hommes de la réaction.

Dans l'histoire de l'homme, la virilité est un bout tabou.

Si l'oisiveté est la mère de tous les vices, le travail du père mène à tous les vices.

Les surhommes le sont sur la
femme.

Investir dans les valeurs masculines, c'est faire un placement immobile car elles sont sans intérêt.

L'homme, ce suffisant qui ne se suffit pas à lui-même.

Les problèmes humains sont beaucoup trop sérieux pour qu'on les laisse aux mains des hommes.

Dans un couple:
on s'amuse, on abuse,
on s'use, on ruse,
on se refuse, on s'accuse.

Comment ne pas être borné quand on a comme seule ambition de devenir cadre?

Ce que femme veut, Dieu le veut peut-être, mais ses représentants ne semblent pas souvent d'accord avec lui.

L'autorité de l'homme est en perte de vitesse parce qu'elle manque d'essence.

Concurrence
Conquête
Contrôle
Conservatisme... etc.

Il est intéressant de noter que les mots qui désignent les valeurs masculines commencent très souvent par le préfixe *con*.

Les hommes gagnent à ne pas être connus.

Les sportifs ont tout dans les muscles.
Les autres hommes,
tout dans le muscle.

L'homme est un mâle nécessaire.

Illogisme, prétention ou naïveté, les hommes nous en mettent plein la vue tout en croyant qu'on ne verra pas clair dans leur jeu.

De bien des hommes on
pourrait dire qu'ils ont
du sexe à piles.

Quand un homme dit que sa femme est sa moitié, il pense vraiment ce qu'il dit.

Les hommes se préoccupent beaucoup du *statu quo* de la femme.

On dit des femmes qu'elles parlent beaucoup; pourtant, elles forment encore la majorité silencieuse.

Quand les hommes se
décident à cuisiner,
ils en font tout un plat.

Les hommes tiennent à ce
que les femmes soient
de parfaites ménagères,
de parfaites mères,
de parfaites cuisinières,
afin qu'elles demeurent
de parfaites inconnues...

Autant il a été difficile de convaincre les hommes d'autrefois que la Terre tournait, autant il est difficile de convaincre les hommes d'aujourd'hui qu'elle ne tourne pas rond.

L'homme est un être réfléchi, puisqu'il ne voit que lui.

Il suffit de dire à un homme qu'il est beau pour qu'il fasse le beau.

Il faut se méfier des hommes qui ont la bosse des affaires; la plupart du temps, ce sont des chameaux.

Depuis des siècles, les hommes essaient de prouver qu'eux aussi ils sont capables de créer.

Les hommes sont tellement menteurs qu'ils ont réussi à faire croire qu'ils étaient francs.

Les jolies femmes se croient souvent laides alors que les hommes laids se croient souvent beaux.

Quand un homme donne de l'argent à sa femme, il lui règle son compte.

Quand un homme prend une brosse, il bat sa femme comme un tapis, alors qu'il faudrait battre le père quand il est chaud.

Si les hommes n'avaient pas plus peur de l'affection qu'ils ont peur des infections, les relations amoureuses se porteraient beaucoup mieux.

Par crainte de passer pour
des moutons, les hommes ne
se montrent jamais sous leur
vrai jour; pas étonnant
qu'entre chien et loup
on les confonde.

Certains hommes sont misogynes parce qu'ils ne se remettent jamais d'être sortis de la femme.

Puisqu'elles font des enfants,
les femmes ont toujours eu
quelque chose à faire.

Pour donner l'impression qu'ils étaient aussi affairés, les hommes ont inventé les affaires. Depuis, ils croient qu'il n'y a rien de plus important à faire.

Freud, de son vrai nom:
Fraude.

Que les hommes parlent de pêche ou de péché, l'objet de leurs exploits est toujours plus long que nature.

Pour les hommes, l'herbe de la voisine est toujours plus verte.

S'il y a un moment dans leur vie où les hommes sont à l'heure, c'est à leur rendez-vous avec le démon de midi.

Il ne semble pas que les hommes aient une très haute opinion de la tendresse puisqu'ils la situent rarement plus haut que les fesses.

Quand les hommes ont inventé les canons de la beauté féminine, ils se sont donné une arme pour défendre leur château fort.

Les Occidentaux désorientés s'orientent vers les Orientales.

L'homme est le haut-parleur des stéréotypes.

À part le sexe, on ne voit pas ce que les hommes ont de sensible.

Les hommes ont eu beau brûler toutes les sorcières du monde, cela n'a pas empêché le Prince Charmant de devenir crapaud.

Quand les hommes vous disent qu'ils ont besoin de se retrouver entre hommes, il y a une femme là-dessous.

Celui qui se prend pour Napoléon ou pour Apollon est souvent celui qui n'en a pas long.

Si les hommes ne pleurent pas, c'est qu'ils ne veulent pas se mouiller.

Quand un homme accepte
que sa femme dépense
son argent, c'est qu'il
considère que c'est
un bon investissement.

Quand une femme est soupçonnée d'avoir trompé son mari, elle doit prouver son innocence;

quand un mari est soupçonné
d'avoir trompé sa femme,
elle doit prouver qu'il est
coupable.

Pour les hommes,
la ligne la plus courte
d'une femme à une autre
est la ligne courbe.

Les couples finissent souvent en queue de poison.

Les bonhommes sont de neige.

En amour, certains hommes sont des touche-à-tout mais des bons à rien.

Une future veuve disait: «Rira bien qui vivra le dernier.»

Le duel:
Autrefois, les hommes
trouvaient déshonorant de ne
pas défendre l'honneur d'une
femme qu'ils avaient eux-
mêmes déshonorée.

Il ne faut pas croire les hommes quand ils disent que la femme est menteuse. C'est une calhomnie.

Absurdité des héros de guerre: Pour montrer ce qu'ils ont dans le ventre, ils finissent vraiment par montrer ce qu'ils ont dans le ventre.

Fins renards, les hommes font les coqs jusqu'à ce qu'ils mettent la poule au poteau pour se faire chouchouter comme des coqs en pâte.

Que des femmes aient été condamnées parce qu'elles avaient osé porter des habits d'homme, c'est déjà aberrant, mais le comble, c'est qu'elles l'aient été par des hommes qui portaient la robe.

Quand un homme d'un certain âge dit qu'il se sent toujours jeune, c'est pour nous faire comprendre qu'il faut bien que jeunesse se passe.

Quand un homme vous offre des fleurs, c'est pour vous empêcher de découvrir le pot aux roses.

Les hommes ont l'esprit fermé, mais ils l'ont ouvert pour les maisons closes.

Habituellement, la femme met de l'eau dans son vin jusqu'à ce que l'homme ajoute la goutte qui fait déborder le couple.

Quand les hommes mettent la main à la pâte, c'est pour cuisiner leur femme.

La culture des hommes tient dans leur porte-documents.

Il y a des hommes qui ne sont jamais tant culottés que nus.

Avant, les hommes étaient en dessous de tout parce qu'ils avaient le dessus. Maintenant, ils sont sens dessus dessous.

Les pères devraient venir par paires puisqu'ils ne remplissent leur rôle qu'à demi.

Le couple forme rarement un tout car il est souvent composé de deux moitiés et d'un tiers.

Si les hommes mettent cartes sur table, c'est qu'ils ont beau jeu; et s'ils ont beau jeu, c'est que le jeu est truqué.

Il est dommage que les hommes n'aient pas le cerveau aussi souple que le sexe.

Ce qui déplaît aux hommes, ce n'est pas tant qu'il y ait moins de femmes mères, mais qu'il y ait moins de femmes enfants.

Quand un homme invite une femme à sortir, il a souvent les yeux plus grands que la dépense.

Quand un homme ne peut avoir le corps d'une femme, il veut avoir sa tête.

En vieillissant, les hommes
économisent leur femme pour
pouvoir se dépenser ailleurs.

Les hommes se mettent à table sans jamais manger le morceau en étant sûrs que vous goberez tout.

Dans un couple, rien ne sert de pourrir, il faut partir à temps.

Si on mettait les hommes
bout à bout, on n'irait
pas loin.

Une des curiosités du règne animal appartient à l'espèce humaine, chez laquelle on observe que le sexe fort s'appuie sur le sexe faible.

L'homme voit rarement plus loin que le bout de son sexe.

Quand un homme exige que sa femme reste à sa place, c'est précisément parce que lui n'y est jamais.

La solidarité entre hommes vient du fait que, individuellement, ils ne font pas le poids.

Il y a de moins en moins d'hommes qui veulent être pères, parce qu'il y en a de plus en plus qui voudraient être mères.

Quand un homme se lance dans le commerce, sa femme passe à la caisse.

Un homme trompé est un homme qui croit qu'il s'est trompé de femme.

Depuis qu'Ève a entraîné les hommes au péché, ils n'ont pas arrêté de s'y entraîner.

Les conversations masculines sont des jardins où on ne trouve que des salades.

Si le monde est une jungle, c'est que les hommes se prennent pour Tarzan.

Quelle ressemblance y a-t-il entre un cow-boy sans monture et un play-boy sans voiture?

Réponse: Les deux n'ont plus de jambes.

Tous les hommes sont prétentieux:
Les chauves ont du toupet; les chevelus, du front tout le tour de la tête.

Il y a des hommes qui pensent qu'en leur qualité d'hommes ils sont des hommes de qualité.

L'amour est une expérience
de physique où deux corps
s'attirent, s'étirent
et puis se tirent...

Le bœuf mugit;
le serpent siffle;
le cerf brame;
l'homme geint.

Il est dommage que les hommes ne soient pas plus compréhensifs, car ils comprendraient que la condition masculine est inacceptable.